Pour Claude, mon grand gentil loup - C.N.V.

Pour Gisèle qui sourit toujours – M.B.

© Kaléidoscope 2006
Loi n° 49.956 du 16 juillet 1949 sur les publications
destinées à la jeunesse : mars 2006
Dépôt légal : mars 2006
Imprimé en Italie

Diffusion l'école des loisirs

www.editions-kaleidoscope.com

Le plus grand chasseur de LOUPS de tous les temps

Texte de Christine Naumann-Villemin
Illustrations de Marianne Barcilon

kaléidoscope

Les trois petits cochons vivent dans la même maison.
Une belle et grande maison en béton armé, avec une serrure blindée...

La vie serait parfaite si Hector, l'aîné, ne se fâchait pas tout le temps.

"Vous ne savez que vous amuser, répète-t-il à ses frères.

Dans la vie, on ne joue pas. On travaille. N'oubliez pas que c'est grâce

à mon sérieux que vous vivez dans une solide maison…"

"Poil au bidon", dit Tortellini, le plus petit.

"Moquez-vous ! N'empêche que c'est grâce à moi que vous avez échappé

au grand méchant loup."

"Poil aux genoux !" dit Bigoudi, le second.

Ce matin, Hector annonce :

"Je vais à la ville faire les courses.

Je vous demanderai donc d'être sages.

Pas de cirque, pas de bain de boue, rien de tout ça…

Essayez de vous occuper intelligemment, pour une fois."

À peine leur frère est-il parti que les deux petits cochons se mettent à l'œuvre…

"Oh là là ! T'as vu la pagaille ? Va pas être content, le frangin !"
"Poil au groin", ajoute Tortellini en gloussant.

Pendant ce temps, le loup est sorti de la forêt.

Il frappe à la porte :

"Ouvrez les cochons, j'ai faim !"

"Va-t'en méchant loup, jamais nous ne t'ouvrirons",

répond Bigoudi en tremblant.

"Oui, laisse nous tranquilles",

renchérit Tortellini en claquant des dents.

"Ho ! Ho ! ricane le loup. Cette fois, vous ne m'échapperez pas.
L'autre cochon énervant, celui qui est malin, n'est pas là. Il n'y a que vous.
Je vais de ce pas découper votre porte avec ma scie électrique
à percussion électro-sidérale et vous manger tout crus !"

"Je serais toi, je ne ferais pas ça",

s'écrie Tortellini en faisant un clin d'œil à son frère.

"Ah oui ! Et pourquoi donc, goret poilu ?"

"Et bien, parce que, parce que… parce que

le Plus Grand Chasseur de loups de tous les temps est chez nous !"

"Oui, renchérit Bigoudi, il est plus fort qu'un ouragan,

il est terrifiant et sans pitié…"

"Ha ! Ha ! Le loup explose de rire. Elle est bien bonne, celle-là !

Eh bien présentez-le-moi, votre chasseur effrayant !"

"Tu es sûr, Monsieur le loup ? Tu n'as pas peur ?"

"Peur, moi ? Tu veux rire, saucisson à la queue en tire-bouchon !"

"Alors entre, entre, dit Tortellini en ouvrant grand la porte.

"Sutout fais attention de ne pas glisser : en rentrant de la chasse, le Plus Grand Chasseur de loups de tous les temps a mis de la boue partout…"

"Ben voyons !" rigole le loup.

"Voici le salon… dit le petit. Quel cochon ! Le Plus Grand Chasseur de loups de tous les temps a plumé un oiseau sur la moquette et il n'a rien nettoyé…"

"Un oiseau ?" interroge le loup.

"Oui, répond Bigoudi, il utilise de la viande crue pour ses pièges à loups…"

"Il est peut-être dans la salle de bains", l'interrompt Tortellini.
"Oh ! Décidément ! dit Bigoudi. Le Plus Grand Chasseur de loups de tous les temps
est vraiment dégoûtant : il a laissé traîner des poils de loup partout…
Il faut dire qu'il en a découpé plusieurs cette nuit…"

"Il en a… découpé ?" hoquette le loup.
"Oui, avec sa grande hache à dents atomiques…"

"Allons voir dans la cuisine ! s'écrie Tortellini. Il se fait sûrement un sandwich au pâté de tête de loup ou du boudin de louveteau au cumin.
Aïe ! Hector ne sera pas content : il a mis du sang sur les murs…"
"Une véritable tornade", commente Bigoudi en hochant la tête.

"Du sang de l...loup ?" bégaie la grosse bête.

"On est désolés, Monsieur… On va bien finir par le trouver…
Allons voir dans la chambre."
"Il fait probablement sa sieste digestive… Il l'a bien méritée : il a tué des loups
toute la nuit. Douze, je crois… Tortel, tu veux bien entrer le premier ?
C'est un grand nerveux, faudrait pas qu'il nous prenne pour un loup…"

"J'y vais, acquiesce le petit cochon. Je vais lui dire de rester calme,
un coup de hache est si vite parti…"

HOOOOU